Bernhard Jc

KLARTEXT kompakt

Das ASPERGER Syndrom

Zwischen

Mobbing und Inklusion

Bernhard J. Schmidt

KLARTEXT kompakt
Das ASPERGER Syndrom
Zwischen Mobbing und Inklusion

© 2016 Bernhard J. Schmidt,
Bad Reichenhall
Alle Rechte vorbehalten.

ISBN: 9783839147917

Herstellung und Verlag:
BoD – Books on Demand, Norderstedt.

Bibliografische Information der Deutschen Nationalbibliothek:
Die Deutsche Nationalbibliothek verzeichnet diese Publikation
in der Deutschen Nationalbibliografie; detaillierte bibliografische
Daten sind im Internet über http://dnb.dnb.de abrufbar.

Mit Autisten reden – nicht über Autisten!

Mit Autisten forschen – nicht über Autisten!

Mit Autisten planen – nicht über Autisten hinweg!

Für
Noah

Inhaltsverzeichnis

I. VORWORT

Für Autisten von zentraler Bedeutung wäre eine gelungene Inklusion. Das Gegenteil, nämlich Ausgrenzung und Mobbing, gehört jedoch leider zur Grunderfahrung von Autisten in unserer Gesellschaft.
Der Gegensatz zwischen Mobbing und Inklusion ist gleichzeitig auch der Gegensatz zwischen Krankheit und Gesundheit. Die Interaktion mit dem Umfeld ist entscheidend für die (gesunde) Entwicklung eines Menschen. Und dies wird bei Autisten ohne geistige Beeinträchtigung besonders deutlich. So haben Asperger und hochfunktionale Autisten nicht nur ein hohes Risiko, Opfer von Mobbing und Bullying zu werden. Gleichzeitig ist ihre gesundheitsbezogene Lebensqualität herabgesetzt und das Sterblichkeits- wie auch Suizid-Risiko erhöht. Mittels der sozial-psychologischen Perspektive treten drei Dinge in ihrer gesamten Komplexität und Bedeutung hervor:

1. Das Verstehen von Autismus
2. Die Bedeutung und Umsetzung von Inklusion
3. Das Verhindern von Bullying und Mobbing

Dies soll im Folgenden dargestellt werden.

II. EINLEITUNG

Unter Berücksichtigung der Ergebnisse der Sozialpsychologie wird deutlich, dass Autisten eine erhöhte Vulnerabilität haben (siehe Schmidt, Ganz 2016) bezüglich der Interaktion mit dem sozio-kulturellen Umfeld – und das mit doppelt negative Folgen:

- Autisten werden häufiger Mobbing-Opfer
- Aufgrund fehlender Resilienz / Widerstandsressourcen sind die Folgen verheerender als bei Nicht-Autisten

Die teils katastrophalen Folgen davon sind:

- niedrige gesundheitsbezogene Lebensqualität
- erhöhtes Sterblichkeitsrisiko
- hohes Suizidrisiko
- erhöhtes Risiko für psychische Störungen
- Ausschluss vom ersten Arbeitsmarkt

Eine gelungene Inklusion wäre ein wirksames Mittel gegen alle diese negativen Folgen.
Durch Inklusion würden vor allem auch die Widerstandsressourcen aufgebaut und die sozio-emotionale Entwicklung gefördert.
Beide, Mobbing wie auch Inklusion, sind die extremen Punkte eines gesellschaftlichen Kontinuums. Sowohl Mobbing als auch Inklusion sind Gruppenprozesse, sind beide abhängig von der jeweiligen Organisationsstruktur und den Zielsetzungen der Organisation (z. B. ein allein auf Leistung bezogenes Schulsystem).
Zudem sind beide in dem Sinn Prozesse, dass sie sich über eine längere Zeit erstrecken müssen und nicht mit einmaligen Vorkommnissen verwechselt werden dürfen.
Ein einmaliger Konflikt ist kein Mobbing – eine einmalige Einladung eines Autisten als Redner bei einer Tagung ist keine Inklusion. Es handelt sich hierbei im Gegenteil um eine heute leider immer häufigere Form von „pretend inclusion", von vorgetäuschter Inklusion, die letztlich nur die Funktion eines Alibis hat.
Immer häufiger werden Autisten zwar „beteiligt", aber mit eingeschränkter Rollenzuweisung, die mit Tischschmuck oder folkloristischer Umrahmung gleichzusetzen ist.
Auch eine mehr oder minder ausgeprägte Duldung von Autisten und ihren Schulbegleitern an Regelschulen ist

keine Inklusion! Wenn die Hauptaufgabe der Schulbegleiter sein muss, Mobbing zu verhindern, dann ist an dieser Schule die Inklusion an sich gescheitert!
Inklusion ist mehr als Duldung.
Inklusion bedarf einer Kombination aus Akzeptanz und insbesondere auch Verständnis. Ohne Verständnis für die Besonderheiten des Gegenübers, sind eine gerechte Beurteilung und ein fairer Umgang nicht möglich.
Inklusion beinhaltet auch eine Einladung, eine Ermutigung zur Teilnahme, zum Mitmachen, zur Mitgestaltung. Und sie benötigt ein offenes, demokratisches und soziales Umfeld – im Gegensatz zu einem autoritären, dass letztlich nur die vorhandene Unsicherheit und Schwäche der Gruppe oder Organisation zu überspielen versucht (siehe z.B. Thomas, A. 1992).

Eine sozial-psychologische Betrachtung ist somit nicht nur prinzipiell erforderlich, sondern führt auch zum Verständnis darüber, weshalb Inklusion für Autisten besonders wichtig und was für die Umsetzung notwendig ist. Aber auch die möglichen und zur Zeit leider häufigen Widerstände werden mittels der sozialpsychologischen Perspektive erklärbar.

III. SOZIALPSYCHOLOGIE

Eine umfassende Darstellung der neuen sozial-psychologischen Perspektive finden Sie bei Schmidt (2015/1). Hier sollen nur kurz die für das Verständnis von Mobbing und Inklusion wesentlichen Punkte kurz erläutert werden.

1 Interaktion und Kommunikation

Autismus wird bisher diagnostiziert als „Beeinträchtigung der sozialen Interaktion und Kommunikation". Doch Interaktion und Kommunikation sind in einem sozialen Kontext ein und dasselbe. Menschen können nicht interagieren, ohne dass dies auch als Kommunikation verstanden wird. Und umgekehrt gibt es keine Kommunikation, die nicht zugleich auch Interaktion wäre. Sinnvoll lässt sich dagegen eine

- verbale von einer nonverbalen Interaktion,

sowie eine

- bewusste von einer unbewussten Interaktion

unterscheiden.

Für das Verständnis von Autismus ist es notwendig zu begreifen, dass jede Form der Interaktion, also auch Aktionen wie Schreien, Haare ausreißen etc., eine Kommunikation bzw. einen Kommunikationsversuch darstellen. Die rein auf die bewusste und verbale Interaktion begrenzte Sicht, lässt das Wesentliche im Verhältnis zwischen Autist und Umwelt übersehen.
Doch der wichtigste Beitrag der Sozial-Psychologie ist das Aufdecken des großen Anteils an unbewusster (!) Interaktion, sei es durch die Imitation von Mimik, Gestik und Verhaltensweisen, die Modulation der Sprechmelodie, aber auch Klatsch und Tratsch als „soziale Fellpflege“ (grooming) und somit als „Klebstoff“ für den Gruppenzusammenhalt.
Diese Interaktion findet hauptsächlich statt innerhalb von Gruppen und zu dem Zweck, diese überhaupt zu konstituieren. Zugleich erfolgt darüber neben der Vermittlung der Zugehörigkeit zur Gruppe auch eine Kommunikation über die Hierarchie innerhalb der Gruppe.
Die Interaktion ist also nicht „sozial“, sondern zum Großteil „unbewusste Gruppen-Interaktion“. Und sie endet abrupt an den Grenzen der Gruppe.
Der Vollständigkeit halber sei noch darauf hingewiesen, dass die Fokussierung alleine auf die bewusste verbale Kommunikation zu zwei Fehlern im Verhältnis zu nicht sprechenden Autisten führt. Zum einen, dass fälschlicher

Weise angenommen wird, dass nicht sprechende Autisten, weil sie sich nicht verbal mitteilen, überhaupt nicht kommunizieren können bzw. wollen.
Und zum anderen, dass aus dem Ausbleiben einer verbalen Reaktion fälschlicherweise abgleitet wird, dass nicht sprechende Autisten nichts verstehen (können).
Leider muss auch heute noch gegen diese Missverständnisse angegangen werden.

2 Eigengruppen/Fremdgruppen Unterscheidung

Ein weiterer, zentraler Punkt zum Verständnis des Entstehens von Mobbing ist die Erkenntnis, dass neurotypische Menschen (NT-Menschen) automatisch und unbewusst eine Unterscheidung in Eigengruppe (in-group) und Fremdgruppe (out-group) vornehmen.
Mittels des „minimalen Gruppenparadigmas" haben Tajfel et al. bereits 1971 gezeigt, dass diese Zuordnung eigentlich immer und unbewusst stattfindet, also auch, wenn

1. die Gruppenmitglieder sich nicht kennen.
2. es keine rationalen (!) Gründe für eine Zuordnung zur Gruppe gibt.
3. das Verhalten einzelnen Versuchspersonen keinen Vorteil bringt.

Allein die Mitteilung, dass die Versuchsperson einer bestimmten von zwei Gruppe angehört, führte zur Bevorzugung dieser Eigengruppe und Benachteiligung der anderen Gruppe durch die Versuchsperson (siehe auch z.B. Diehl, M. 1990).
Die Konsequenzen dieser (unbewussten) Zuordnung zur Eigen- bzw. Fremdgruppe können gravierend sein:
„*... Menschen schreiben die Essenz des Menschseins ihrer Eigengruppe zu und erachten Fremdgruppen als weniger menschlich.*“ (Leyens 2003)

Und dies mit zum Teil verheerenden Folgen für die der Fremdgruppe zugeordneten Menschen. Weil ihnen die volle Menschlichkeit abgesprochen wird, erscheinen im Extrem Verfolgung bis hin zur Ausrottung, auf einer niedrigeren Stufe Mobbing und Bullying, als vermeintlich gerechtfertigt.

3 Imitation und Konformität

Die unbewusste Imitation des Gruppenverhaltens, wie auch die Konformität mit den Gruppennormen, sind Grundlage der Gruppenzugehörigkeit. Über Imitation und Konformität wird die Zugehörigkeit zur Eigen- bzw. Fremd-Gruppe entschieden.

„Menschen passen sich an. Ohne oder mit wenig Reflexion übernehmen wir viele funktionslose und ständig wechselnde Launen und Moden von den Menschen um uns herum. Wir übernehmen nicht nur willkürliche Moden, sondern auch Mehrheitsmeinungen, selbst wenn wir es besser wissen.“ (Haun 2011)

Dabei stehen Imitation wie auch Konformität einem rationalen Verhalten entgegen. Die Frage, warum Mobbing von z.B. anderen Schülern häufig nicht verhindert wird, findet hier eine erste Antwort. Die aus Imitation und Konformität erwachsenden Prozesse und ihre menschlichen Abgründe wurden z.B. beim „Stanford Prison Experiment“ von Zimbardo deutlich.
Dieser berichtet über sein berühmtes Experiment, bei dem Versuchspersonen entweder in der Rolle (!) eines Wärters oder eines Gefangene in ein künstliches (!) Gefängnis im Keller der Stanford University gebracht wurden:
„Am Ende von nur sechs Tagen mussten wir unser simuliertes Gefängnis schließen, weil das, was wir sahen, erschreckend war. Es war für die meisten Testpersonen (bzw. für uns) nicht mehr offensichtlich, wo die Realität endete und wo das Rollenspiel begann. Die Mehrzahl war tatsächlich zu Gefangenen oder Wärtern geworden und konnte nicht mehr klar zwischen Rollenspiel und

Selbst unterscheiden. Es gab dramatische Veränderungen bei praktisch allen Aspekten ihres Verhaltens, Denkens und Fühlens. In weniger als einer Woche machte die Erfahrung der Gefangenschaft das lebenslang Gelernte (temporär) zunichte; menschliche Werte wurden außer Kraft gesetzt, Selbstkonzepte infrage gestellt und die hässlichste, übelste, pathologische Seite der menschlichen Natur kam zutage. Wir waren entsetzt, weil wir einige Jungs (Wärter) sahen, die andere behandelten, als ob sie verabscheuungswürdige Tiere wären und sich an Grausamkeiten erfreuten, während andere Jungs (Gefangene) unterwürfige, entmenschlichte Roboter wurden, die nurmehr an Ausbruch dachten, an ihr eigenes Überleben und an ihren wachsenden Hass gegenüber den Wärtern.“ (Zimbardo 1972)

Dies Beispiel ist leider kein Einzelfall, wie die Versuche von Milgram und anderen zeigen. Seit den 1950er Jahren ist in der Sozial-Psychologie bekannt, dass Menschen zu einem großen Teil eben nicht bewusst, rational und autonom handeln, sondern irrational, unbewusst und von der jeweiligen Gruppe abhängig.
Zum Verständnis wichtig ist zu berücksichtigen, dass die gewohnte soziale Umgebung der Versuchsteilnehmer jäh geändert und durch eine neue ersetzt wurde. Wie auch Mobbing, so sind die von Zimbardo und Milgram

gemachten Beobachtungen abhängig vom sozio-kulturellen Umfeld bzw. dessen Änderung.

4 Diskriminierung

Die Unterscheidung in Eigen- und Fremd-Gruppe benötigt eine grundsätzliche Möglichkeit zur Unterscheidung. Diese Unterscheidung kann dabei, wie dargestellt, auch vollkommen irrational sein.
Diskriminierung bedeutet ursprünglich und wertneutral nur „Unterscheidung". Doch aus dieser Unterscheidung erwächst dann die Abgrenzung und Ausgrenzung als Mitglied der Fremd-Gruppe. Und das mit der Folge, dass den Mitgliedern der Fremd-Gruppe die für eine volle Menschlichkeit notwendigen Eigenschaften abgesprochen werden. Bei Autisten ist dies zum Beispiel der angebliche „Mangel an Empathie", der dann zu einem „Empathie-Rassismus" führt (siehe auch Schmidt, 2015/1).
Die falsche (!) Bezeichnung von Autismus als „Störung" bzw. „Krankheit" trägt zusätzlich zur Diskriminierung und Stigmatisierung von Autisten bei.
Leider ist dies anscheinend auch Selbsthilfegruppen und Hilfeorganisationen nicht bewusst, so dass diese durch eine unreflektierte Verwendung des Störungsbegriffs Ausgrenzung und damit Mobbing befördern.

Autisten sind anders, aber Autismus ist keine Krankheit. Es handelt sich vielmehr um eine erhöhte Vulnerabilität und damit einhergehend, ein erhöhtes Risiko, u.a. durch das traumatische Erleben von Mobbing, entsprechende psychische Störungen, wie z.B. PTBS zu entwickeln (siehe auch Schmidt; Ganz 2016/2).
Das Verhalten gegenüber Menschen, die anders sind, schwächer sind, ist immer abhängig von dem Verhalten einer Gruppe innerhalb einer sozio-kulturellen Umgebung.

5 Positive Aspekte von Gruppen

Neurotypische Menschen (NT-Menschen) sind immer zugleich Mitglieder von mehreren Gruppen.
Diese Gruppen haben unterschiedlichen sozialen Status und bieten für ihre Mitglieder einige Vorteile.

Die Zugehörigkeit zu Gruppen bietet sowohl Orientierung als auch durch die Gruppen-Interaktion die Grundlage für Entwicklung von Selbstwertgefühl.
Das Miteinander innerhalb der Gruppe und die Unterstützung durch die anderen Mitglieder erzeugt das Gefühl der Handhabbarkeit im Sinne Antonovskys (1997) und dient zugleich der Angstvermeidung.

Gruppen bieten dem einzelnen Mitglied zudem einen gewissen Schutz und sind zugleich Voraussetzung zum Wechsel in eine Gruppe mit höherem Status.
NT-Menschen versuchen häufig, in eine ranghöhere Gruppe aufzusteigen. In dieser werden dann die der Gruppe eigenen Stereotype übernommen.
Karriere ist kein individueller und auf persönlichen Fähigkeiten allein basierender Prozess, sondern im Wesentlichen abhängig von der Teilnahme an entsprechenden Gruppen. Ohne die Zugehörigkeit zu solchen Gruppen hat die Karriereleiter nur sehr wenige Sprossen.

IV. AUTISMUS

Neben der häufig auftretenden sensorischen Hypersensibilität, auf die hier nicht näher eingegangen werden soll, ist das Hauptkriterium für Autismus das Fehlen der unbewussten Gruppen-Interaktion. Autisten imitieren nicht ihr Gegenüber, synchronisieren sich nicht unbewusst mit anderen Menschen, passen sich nicht unbewusst irgendwelchen Gruppennormen oder Moden an.
Während bei NT-Menschen die Kommunikation zu einem großen Teil (ca. 60%) aus Klatsch und Tratsch besteht, über die die Gruppenzugehörigkeit kommuniziert wird, übermitteln Autisten in aller Regel 100% Sachinformation. Es fehlt also bei Autisten der Teil der „Fellpflege“, weshalb Autisten häufig fälschlicherweise den Eindruck der Unfreundlichkeit erwecken.
Durch das Fehlen der unbewussten Interaktion, fehlt Autisten auch der „Autopilot“, also die unbewusste Orientierung an der Gruppe.
Eine unbewusste Unterscheidung in Eigen- und Fremd-Gruppe vollziehen Autisten nicht.

1 Probleme für Autisten

Aus dem Fehlen des „Autopiloten" entstehen für Autisten einige Probleme, die im Einzelnen in Schmidt (2016/2) dargestellt wurden. Die für das Verständnis des Verhältnisses von Inklusion und Mobbing wichtigen sind, dass Autisten sich schwer tun mit der (Gruppen-)Orientierung und deshalb klare und verlässliche Strukturen benötigen. So wie es Menschen mit Sehbehinderung in der visuellen Welt schwer fällt, sich zu orientieren, so haben Autisten entsprechende Probleme bezüglich unbewusster Gruppen-Beziehungen. Diese unsichtbaren und unbewussten Strukturen sind für die Orientierung von NT-Menschen aber mindestens genauso wichtig wie die visuellen.
Zum anderen kommen Autisten viel schneller an ihre Leistungsgrenzen, da der Autopilot bei NT-Menschen auch als Energiesparmodus dient. Ohne die Möglichkeit, sich unbewusst der Gruppenmeinung und -richtung anzuschließen, müssen Autisten bewusst Entscheiden und Navigieren. Dies kostet viel Energie.

2 Folgen für die Gruppen-Beziehungen

Autisten können aufgrund der fehlenden unbewussten Gruppen-Interaktion nur an der bewussten Gruppen-Kommunikation teilnehmen. Imitation und Konformität, also die unbewusste Nachahmung von Gruppennormen fehlt.

„In jeder Gruppe von Individuen, die zu einem bestimmten Zweck zusammen kommt, gibt es eine bewusste, aufgabenorientierte Gruppe und eine zugrunde liegende, unbewusste Gruppe; das Funktionieren dieser zugrunde liegenden Gruppe kann im Widerspruch stehen zu den Anforderungen der Aufgabe. Damit soll nicht gesagt werden, dass Arbeitsgruppen nie funktionieren. Wir sind aus einer Vielzahl von Gründen – Arbeit, Politik, Interessen und Freizeit – Mitglieder in Gruppen und meistens schaffen wir es, die gestellten Aufgaben zu erfüllen. Die Leistung kann jedoch durch Ängste, derer wir uns vielleicht nicht bewusst sind, und durch Prozesse, die sich in der Gruppe zur Minderung der Ängste entwickeln, beeinträchtigt sein." [Wetherell (1996)]

Nicht nur bleiben Autisten die unbewussten und dadurch häufig irrationalen Gruppen-Prozesse verborgen, sie wer-

den auch nicht als Teil einer Gruppe, nicht einmal als Teil einer Fremd-Gruppe, wahrgenommen.
Autisten sind „no-group".
Während Mitglieder einer (Fremd-)Gruppe zumindest teilweise dem Schutz durch diese unterliegen, sind Autisten gruppen- und somit auch schutzlos.

3 Angst und Stress

Das Grunderleben von Autisten in einer Reiz überfluteten Wohlstandsgesellschaft wird geprägt durch Angst und Stress. Ohne die Möglichkeit, sich (unbewusst) an Gruppen zu orientieren, an diesen teilzuhaben und ihren Schutz zu genießen, erscheint die Umwelt häufig als feindlich und irrational. Ausgedrückt wird dies häufig als „wrong planet"-Gefühl, also dem Eindruck, auf einem falschen Planeten gelandet zu sein.
In einer sich schnell wandelnden Wohlstandsgesellschaft fallen zudem immer mehr Strukturen weg, die früher unabhängig von einer Gruppenzugehörigkeit Orientierung geboten haben. Klare Grenzen des Verhaltens verwischen, Rituale und Strukturen, wie z.B. in einer Großfamilie, verschwinden.
Dafür steigen bei Autisten die negativen Erfahrungen im Umgang mit anderen Menschen bzw. Gruppen, z.B. in Form von erlittenem Mobbing.

Der vollständige Rückzug aus dem Leben ist bei Autisten deswegen leider häufig zu beobachten.
Deshalb reicht allein eine Duldung nicht aus für die Inklusion von Autisten!

V. MOBBING

Nicht nur Autisten werden Mobbing-Opfer, aber sie haben aufgrund der fehlenden unbewussten Gruppen-Interaktion ein erhöhtes Risiko.

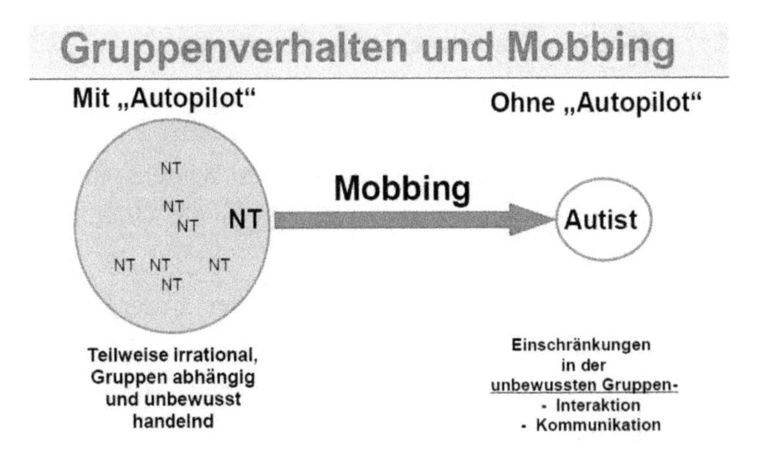

Mobbing kann in vielerlei Form stattfinden. Angefangen vom bewussten Ausschluss von der Gruppen-Kommunikation, über die Verbreitung von herabwürdigenden Gerüchten über das Mobbingopfer, bis hin zu tätlichen physischen oder verbalen Angriffen erstreckt sich das große Spektrum von möglichem Mobbingverhalten.
Für das Vorliegen von Mobbing ist aber nicht das „was“ der Handlungen entscheidend, sondern das „wie“.

Im Unterschied zu einmaligen Konflikten ist Mobbing ein Prozess, der sich über einen längeren Zeitraum erstreckt und in aller Regel eskaliert.
Mobbing ist der systematische Missbrauch von Macht, und das in aller Regel von Gruppen gegenüber einzelnen Menschen (Salmivalli 1996).

1 Mobbing ist ein Gruppenprozess

Es ist immer eine Gruppe, die sich aus Täter(n), Unterstützern, Mitläufern (auch wider besseren Wissens) und Zuschauern zusammensetzt, die sich gegen ein Mobbing-Opfer wendet.
Die Frage „Warum machen andere (Schüler) wider besseren Wissens beim Mobbing mit?“ wird durch die Ergebnisse der Sozialpsychologie beantwortet. Die Gründe liegen in der unbewussten Gruppenanpassung und Konformität mit dem Gruppenverhalten.
„Unter sowohl Jungen und Mädchen hatten die Opfer einen geringeren Status als die anderen Gruppenmitglieder. Sie hatten eine hohe soziale Ablehnung, geringe soziale Akzeptanz und besaßen am häufigsten den "Status des Zurückgewiesenen“. Dies bestätigt die Ergebnisse vieler früherer Studien [z.B. Lagerspetz et al. 1982; Lindman und Sinclair, 1988; Perry et al., 1988]. Die Unbeliebtheit der Opfer kann sowohl als Ursache als auch

als Folge kontinuierlichen Mobbings gesehen werden. Ein Grund dafür, dass sie als erstes herausgegriffen und schikaniert werden, könnte ihre ursprüngliche Unpopularität innerhalb der Gruppe sein. Auf der anderen Seite, wie Olweus [1991] darlegte als er die bei Mobbing beteiligten Gruppenmechanismen beschrieb, gibt es graduelle kognitive Veränderungen in der Wahrnehmung des Opfers durch die Peers. Mit fortschreitendem Mobbing beginnen sie das Opfer als abweichend und wertlos zu sehen und dass es die Schikanierung beinahe verdient hat; zusammen mit diesen kognitiven Veränderungen wird das Opfer noch unbeliebter. Es wird eine soziale Norm der Gruppe, das Mobbingopfer nicht zu mögen.“
[Salmivalli et al. (1996): Bullying as a Group Process]

Aber nicht in allen Gruppen entsteht automatisch auch Mobbing. Grundlage und Voraussetzung für das Auftreten von Mobbing ist häufig eine zugrundeliegende schwache Organisationsstruktur, in der die negativen Gruppenprozesse überhaupt erst stattfinden können. Mobbing als aggressives Verhalten gegen einen vermeintlichen „Außenfeind“ ist immer auch ein Versuch des Abwehrens bzw. Leugnens von Angst und Leiden und somit Ausdruck von Unsicherheit und Schwäche.

2 Mobbing ist abhängig von der Organisationsstruktur

„Laut dem Schulforscher Wolfgang Melzer kann Mobbing in der Schule nicht auf bestimmte Täter- und Opferpersönlichkeiten zurückgeführt werden, sondern auf das Schulklima.[Ulrich Winterfeld: Gewalt in der Gesellschaft – ein Thema für Psychologen. In: Report Psychologie. Jg. 32, Nr. 11–12, 2007, ISSN 0344-9602, S. 481.]“ (aus: Wikipedia.de Artikel „Mobbing“)

Das Schulklima ist also als die übergeordnete Struktur zu sehen, an der sich die Gruppen innerhalb der Schule orientieren.

Doch dies gilt nicht nur für die Schule, sondern auch für die Arbeitswelt:
„Die Analyse von rund 800 Fallstudien zeigt ein fast gleichförmiges Muster (Becker, 1995; Kihle, 1990; Leymann, 1992b; Neidl, 1995). In all diesen Fällen wurden eine extrem schlecht organisierte Produktion und / oder Arbeitsmethoden und ein fast hilfloses oder desinteressiertes Management gefunden. Dies ist nicht verwunderlich, wenn man die meist schlechten organisatorischen Bedingungen berücksichtigt, die Leymann (1992, 1995)

für gemobbte Mitarbeiter von Krankenhäusern, Schulen, und religiösen Organisationen vorgefunden hat, die in diesen Studien überrepräsentiert waren."
[Leymann, Heinz (1996): The Content and Development of Mobbing at Work]

"Schulklima" ist vor allem in Bayern gekennzeichnet durch Leistungsdruck und ein bewusst gewolltes Konkurrenzdenken, durch grundsätzlich zielgleiches und methodengleiches Unterrichten und "Vermessen" der Schüler anhand von Noten und anderen Beurteilungen, die grundsätzlich "gegeneinander" gerichtet sind.
Ein "Firmenklima" ist häufig mit dem Argument des "Bestehens auf dem wirtschaftlichen Markt" genauso ausgerichtet.
Daneben gibt es noch die Strukturierung von Arbeitsabläufen, z.B. Zimmerwechsel, Lehrerwechsel, Veränderung der Sitzordnung, Veränderung der Bestuhlung oder nicht regulierbare Beleuchtung, keine vorhandenen Ausweichräume etc.

Zur Verhinderung bzw. Beendigung von Mobbing ist also vorrangig eine Veränderung der Organisationsstrukturen notwendig. Eine Beschränkung auf den Versuch, die Interaktion zwischen Täter(n) und Opfer zu verändern, greift zu kurz!

3 Folgen von Mobbing

Die Folgen von Mobbing, und das ist bekannt, können verheerend sein.
„*98,7 % der deutschen Mobbingopfer geben diesbezüglich negative Auswirkungen an. Am häufigsten nennen Opfer laut Mobbing-Report Demotivation (71,9 %), starkes Misstrauen (67,9 %), Nervosität (60,9 %), sozialen Rückzug (58,9 %), Ohnmachtsgefühle (57,7 %), innere Kündigung (57,3 %), Leistungs- und Denkblockaden (57,0 %), Selbstzweifel an den eigenen Fähigkeiten (54,3 %), Angstzustände (53,2 %) und Konzentrationsschwächen (51,5 %).[17] Beruflich kann Mobbing zu Kündigung, Versetzung und Erwerbsunfähigkeit des Opfers führen.[Bärbel Meschkutat, Martina Stackelbeck, Georg Langenhoff: Der Mobbing-Report – Repräsentativstudie für die Bundesrepublik Deutschland (PDF; 614 KB). Wirtschaftsverlag NW, Dortmund 2002, ISBN 3-89701-822-5.]*“ (aus: Wikipedia.de Artikel „Mobbing“)

Ist das traumatische Erleben von Mobbing chronisch, (Autisten sind aufgrund des fehlenden unbewussten Gruppenverhaltens einem sehr hohen Risiko für andauerndes oder wiederkehrendes Mobbing unterworfen), können als Folge massive psychische Störungen, z.B.

Posttraumatische Belastungsstörungen (PTBS) entstehen (siehe auch Schmidt; Ganz 2016/2).
„*PTBS Symptome können aus multiplen Traumata gemäß dem Komplexen PTBS Modell entstehen (Terr, 1991; Herman, 1992; Van der Kolk, 2005; Hofvander et al., 2009), sozusagen verlängerte und/oder wiederholte Traumata, wie Mobbing Erfahrungen oder wiederholter sexueller Missbrauch. Die Komplexe PTBS Symptomatologie ist oft chronisch und schwerer als typische PTBS Symptome, einschließlich Defiziten bei Emotionsregulierung, negativer Selbstwahrnehmung, zwischenmenschlicher Probleme und dissoziativer Symptome (King, 2010; Cloitre et al., 2013; Maercker et al., 2013). Es wurde beobachtet, dass die Symptome der Komplexen PTBS im Lauf der Zeit zu langfristiger Instabilität zwischenmenschlicher Beziehungen, emotionaler Labilität, instabiler Selbstwahrnehmung wie auch zu unangepassten Verhaltensweisen wie Drogenmissbrauch und Selbstverletzung führen, so dass diese Klienten letztendlich als Borderline Patienten etikettiert werden könnten (King et al., 2010).*“ [Dell'Osso et al. 2015]

Es ist einsichtig, dass gerade bei Kindern und Jugendlichen das traumatische und chronische Erleben von Mobbing katastrophale Folgen nach sich ziehen kann.

Durch die erhöhte Vulnerabilität in Kombination mit niedrigen Widerstandsressourcen sind autistische Kinder und Jugendliche besonders gefährdet. Und dies mit der Folge einer erhöhten Gefährdung körperlich zu erkranken und erhöhtem Sterblichkeits- und Suizid-Risiko.

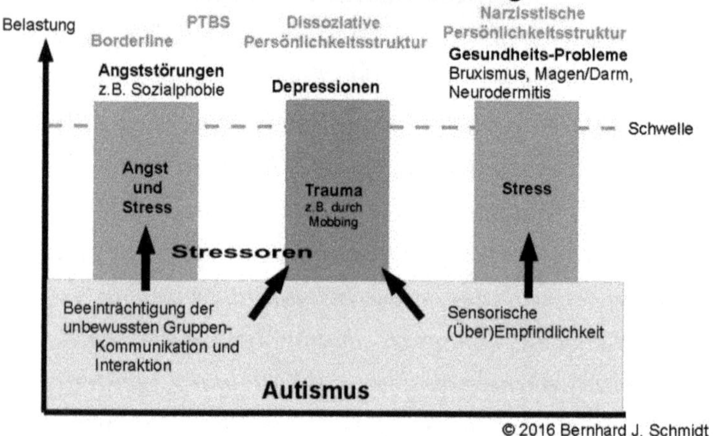

Zugleich ist aber die Teilnahme an sozialer (!) Interaktion eine notwendige Voraussetzung für eine gesunde Entwicklung. Nur Inklusion ist zielführend und gesundheitsförderlich – und nicht Rückzug oder Ausgrenzung.

VI. ZWISCHEN MOBBING UND INKLUSION

Der Medizinsoziologe Aaron Antonovsky vertrat die Meinung, dass Gesundheit und Krankheit nicht zwei voneinander getrennte Zustände, sondern die Endpunkte eines Kontinuums sind. Es gibt also nicht entweder den Zustand „gesund" oder „krank", sondern Menschen befinden sich in Abhängigkeit verschiedener Einflüsse auf einem Punkt des Kontinuums zwischen Gesundheit und Krankheit in psychosomatischer Hinsicht.
Und auch Inklusion und Mobbing sind nicht voneinander getrennte Zustände, sondern die Endpunkte eines Kontinuums.
Und beide, das Gesundheitskontinuum Antonovskys wie auch das Inklusionskontinuum, korrelieren miteinander.

Während Mobbing in dramatischer Weise zu Krankheit führen kann, so gelungene Inklusion zu Gesundheit, wie im Folgenden dargestellt werden wird.
Inklusion ist also nicht einfach „Gutmenschtum“, nicht nur die berechtigte und notwendige Umsetzung von Menschenrechten, sondern vor allem auch der Weg und die Möglichkeit zu einer physisch wie psychisch gesunden Entwicklung.

VII. INKLUSION

Inklusion ist nicht einfach ein passives Dulden der Anwesenheit eines in seinem physischen oder psychischen Sein von der Norm abweichenden Menschen, sondern ein aktiver und kontinuierlicher Prozess.
Inklusion ist nicht einfach ein „dabei sein“ dürfen, sondern ist immer auch eine Einladung, Aufforderung und Ermunterung zur Teilnahme an der sozialen Interaktion. Wie notwendig diese Aufforderung und Ermunterung ist, wird besonders bei Autisten deutlich, da Angst und Stress das Erleben von Autisten (wie dargestellt) grundlegend prägen.
So unterschiedlich Menschen auch sind, so sehr sie auch von einer „Normalität“ abweichen, so ist doch allen gemein, dass sie soziale (!) Wesen sind und die soziale (!) Interaktion zum Lernen, Wachsen und sich Entwickeln, also zur Verwirklichung des Menschseins brauchen.

1 Lernen im sozio-kulturellen Kontext

Die Begrenzung des Begriffs „Lernen“ auf die Vermittlung von „objektivem“, also von der Umgebung unabhängigem Wissen lässt übersehen, dass ein großer Teil des Lernens zum einen andere Bereiche berührt und eine stark subjektive Seite hat. Diese subjektive Seite besagt, dass Lernen außerhalb der vermeintlich objektiven Wissensvermittlung immer in einem sozio-kulturellen Umfeld stattfindet und durch dieses geprägt wird.

1.1 „Common Ground"

Die zur Kommunikation verwendeten Zeichen und Gesten haben zwar einen kleinen allgemeingültigen Teil. Der Großteil wird aber abhängig von der Umwelt erlernt. Ein deutscher Schüler, der mehr schlecht als recht Englisch in der Schule gelernt hat, wird bei einem ersten Besuch in England zwar die Zeichen z.B. der Verkehrsschilder und auch die Speisekarten lesen können. Bei der Konversation mit Engländern wird er aber auf viele Probleme stoßen, weil er weder die verschiedenen Dialekte, Redewendungen noch den englischen Humor verstehen wird.
Wenn also manche Autisten Schwierigkeiten haben, Redewendungen, Witze oder Andeutungen zu verstehen, dann liegt dies nicht an einer prinzipiellen Unfähigkeit, sondern weil der zur Kommunikation notwendige „common ground", das kommunikative Fundament, nicht erlernt wurde. Um die Zeichen und Gesten einer Kultur verstehen zu können, muss man diese durch die Teilhabe an der sozialen Interaktion lernen.

Autisten wiederum lernen aufgrund der fehlenden unbewusste Gruppenkommunikation Zeichen und Gesten nicht einfach "nebenbei" durch bloße Anwesenheit, sondern müssen sich diese bewusst vergegenwärtigen. Sie sind für gezielte Hilfestellungen und eine wertschätzende Vermittlung dankbar.

1.2 Selbstwertgefühl

Eine wichtige Ressource sowohl für die Erhöhung der Belastungsschwelle als auch für z.B. die Emotionsregulation ist das Selbstwertgefühl. Dieses wird aufgebaut durch die Interaktion mit anderen Menschen und durch die wertschätzende Rückmeldungen bezüglich des eigenen Tuns.

Selbstwertgefühl (self-esteem) entsteht aus der sozialen Interaktion, aus zwischenmenschlichen Beziehungen. Es wird aufgebaut durch die Vermutungen und Erfahrungen, wie man durch andere Menschen eingeschätzt wird.
Dazu Leary (2002):
„... andere Theoretiker haben ein an interpersonalen Aspekten orientiertes Verständnis von Selbstwertgefühl entwickelt und vertreten die Auffassung, dass das Selbst ein inhärent soziales Konstrukt ist, das im Kontext von zwischenmenschlichen Beziehungen entsteht. Wenn wir

von der Annahme ausgehen, dass das Selbst inhärent sozial ist, lässt sich sehr einfach erklären, warum die Gefühle, die Menschen gegenüber sich selbst haben, eng damit zusammenhängen, wie sie ihrer Meinung nach von anderen eingeschätzt werden."
Die Entwicklung von Selbstwertgefühl ist aber nicht einfach nur schön, sondern dieses dient wohl nicht nur als wichtiges Mittel zur Gefühlsregulation, sondern auch als Bewältigungsmechanismus.
„Zahlreiche Befunde legen nahe, dass Selbstwertgefühl eine wichtige Persönlichkeitsressource zur Stressregulation beim Umgang mit belastenden Situationen darstellt." [Agroskin (2014)]
Zudem scheint ein gut entwickeltes Selbstwertgefühl sowohl gegen Stress, Depression als auch Angst hilfreich zu sein.
„... Unterschiede im Selbstwertgefühl sind für verschiedenste gesundheitsbezogene Phänomene von Bedeutung. Ein geringes Selbstwertgefühl wurde zum Beispiel mit negativem Affekt und erhöhter Anfälligkeit gegenüber psychologischen Stressoren und mit verschiedenen affektiven Störungen in Zusammenhang gebracht, darunter schwere Depression, posttraumatische Belastungsstörung (PTBS) und Angststörung." [Agroskin (2014)]"
[der Absatz wurde übernommen von Schmidt (2015/2)]

Wird auf der einen Seite durch Inklusion Selbstwertgefühl gefördert und Bewältigungsressourcen erzeugt, so wird es durch Ausgrenzung und Mobbing geschmälert bzw. zerstört.

1.3 Sozio-emotionale Entwicklung

Dass die Entwicklung von Menschen zwei voneinander unabhängige Bereiche umfasst, wird solange übersehen, bis es zu einer getrennten Entwicklung z.B. bei einer Dissoziativen Persönlichkeitsstruktur kommt. Diese kommt bei Autisten relativ häufig vor und wird deshalb oft mit Autismus als solchem verwechselt.
Die beiden Bereiche sind zum einen die kognitive und zum anderen die sozio-emotionale Entwicklung.
Bei NT-Menschen und Autisten ohne geistige Beeinträchtigung ist die kognitive Entwicklung weitgehend unproblematisch und bedarf auch keiner Anleitung von außen mittels sozialer Interaktion (Lehrer, Eltern, Erzieher etc.). Die Möglichkeit des Zugriffs auf die kulturellen Errungenschaften in Form von Büchern oder Online-Angeboten reicht hier weitgehend.
Anders sieht dies jedoch bei der sozio-emotionalen Entwicklung aus. Allein abhängig vom Umfang der sozialen Interaktion bzw. deren Störung z.B. durch Mobbing

findet dagegen die sozio-emotionale Entwicklung von Autisten statt.
Ohne eine gelungene Teilnahme an sozialer Interaktion verfügen diese Menschen dann zwar über eine normale oder auch teilweise überdurchschnittliche kognitive Entwicklung, sind aber sozio-emotional beispielsweise auf dem Stand eines Kindes stehen geblieben.

2 Belastungsbalance statt Ausgrenzung

So attraktiv auch auf den ersten Blick das Vermeiden von sozialer Interaktion sein mag, z.B. durch Online-Schulen, so ist dies, wie dargestellt, für die gesunde und umfassende Entwicklung von Autisten nicht förderlich.

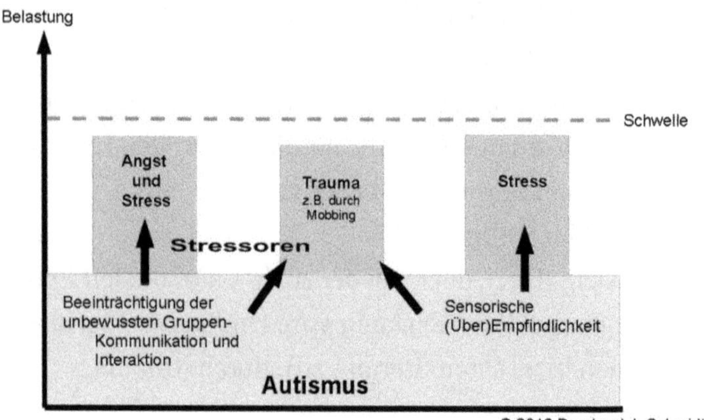

Es ist eine Illusion zu glauben, durch die Fokussierung allein auf den Bereich der Wissensvermittlung und ohne die sozio-emotionale Entwicklung zu fördern, Autisten "gutes zu tun".
Vermeidung und Rückzug sind nicht zielführend. Anzustreben ist dagegen eine Belastungsbalance durch gelungene Inklusion.
Durch die Interaktion innerhalb des Bereiches der Belastungsbalance werden Coping-Strategien, Selbstwertgefühl und das Gefühl der Handhabbarkeit (Antonovsky 1997) entwickelt.
Schule und Arbeitswelt sind neben ihren Grundfunktionen wie z.B. der Wissensvermittlung auch und vor allem Felder möglicher sozialer Interaktion. Die aktive Umsetzung von Inklusion in allen Lebensbereichen ist also geradezu notwendige Voraussetzung für eine gesunde und umfassende Entwicklung von Autisten.

3 Probleme bei der Umsetzung

Über Inklusion zu reden und diese zu erkämpfen, ist überhaupt nur in einer Gesellschaft notwendig, die eigentlich von der Struktur her zu Ausgrenzung und Mobbing neigt.
In einer inklusiven Gesellschaft gäbe es entsprechende Diskussionen nicht.

Wo keine Strukturen und Grenzen Orientierung bieten, wo statt sozialer Interaktion hauptsächlich unbewusste Gruppen-Interaktion stattfindet, und Autisten nicht mittels bewusster Kommunikation mit einbezogen werden, ist die echte Inklusion von Autisten schwer zu erreichen.

Wenn z.B. ein Schul-Rektor meint, dass Autismus nur eine Modediagnose und Entschuldigung für schlecht erzogene Schüler sei, wenn Lehrer an der gleichen Schule sich dann letztlich dieser Meinung anpassen und sich nacheinander gegen eine Schulbegleitung des AS-Schülers verwahren, dann ist in einem solchen ausgrenzenden, geschlossenen System für das Entstehen von Mobbing bereits Tür und Tor geöffnet.
„*Wegen eines fundamentalen Attributions-Fehlers (fundamental attribution error), neigen Kollegen und Management in der Regel dazu, Erklärungen basierend auf persönlichen Eigenschaften anstatt auf Umweltfaktoren zu erzeugen (Jones, 1984). Dies kann insbesondere der Fall sein, wenn das Management für die psychologische Arbeitsumgebung verantwortlich ist und sich weigert, die Verantwortung für die Situation zu akzeptieren.*“
[Leymann, Heinz (1996): The Content and Development of Mobbing at Work]

Dies hat zur Folge, dass die Ursache für das Mobbing in den Eigenschaften des Schülers anstatt beispielsweise in der Schulstruktur gesehen wird.
In einem solchen Schulumfeld ist es dann kein Wunder, wenn z.B. der Sportlehrer „übersieht“, dass dem Autisten häufig Bälle absichtlich gegen den Kopf geworfen werden …
Leider ist dieses Verhalten auch noch selbstbestätigend.
„*Die Problematik des Opfers besteht sehr häufig darin, dass es, um dem Mobbing zu entgehen, zum Schulverweigerer wird oder die Schule verlässt bzw. wechselt. Faktisch wird damit das Opfer negativ sanktioniert, während der oder die Mobber indirekt belohnt werden. Die Solidarität der Lehrer mit dem Opfer ist nach bisherigen Erfahrungen wenig ausgeprägt.*“
(Quelle: Wikipedia.de Artikel „Mobbing in der Schule“)

Dabei sind Schulen und ihre Struktur Abbild Gesamtgesellschaftlicher Strukturen.
Die Umsetzung von Inklusion bedarf auch einer gesellschaftlichen Veränderung. Denn eine auf unbewusster Gruppenanpassung beruhende Gesellschaft schafft ja erst die Probleme, die mittels Inklusion gelöst werden müssen.
Leider ist in Deutschland zur Zeit ein Gegeneinander von Eltern- und Autisten-Vertretungen zu beobachten, anstatt

dass diese gemeinsam und vehement für Inklusion und die damit verbundenen gesellschaftlichen Veränderungen eintreten. Den Preis dafür zahlen insbesondere autistische Kinder und Jugendliche, die täglich Opfer von Ausgrenzung und Mobbing werden, und denen so eine gesunde und umfassende Entwicklung verwehrt wird.
Wenn sich nicht schnell Grundlegendes zum Positiven verändert, dann muss man davon ausgehen, dass steigende Zahlen physischer wie psychischer Störungen sowie Suizide bei AS-Menschen von der NT-Mehrheit billigend in Kauf genommen werden.

VIII. LITERATURVERZEICHNIS

Agroskin, Dmitrij; Klackl, Johannes; Jonas, Eva (2014): The self-liking brain: a VBM study on the structural substrate of self-esteem. In: PloS one 9 (1), S. e86430. DOI: 10.1371/journal.pone.0086430.

Antonovsky, Aaron; Franke, Alexa (1997): Salutogenese. Zur Entmystifizierung der Gesundheit. Tübingen: DGVT-Verl. (36). ISBN: 978-3871591365

Dell'Osso, Liliana; Dalle Luche, Riccardo; Carmassi, Claudia (2015):
A New Perspective in Post-Traumatic Stress Disorder: Which Role for Unrecognized Autism Spectrum? In: International Journal of Emergency Mental Health and Human Resilience Vol. 17, No.2, S. 436–438.

Diehl, M. (1990). The minimal group paradigm: Theoretical explanations and empirical findings. In: W. Stroebe & M. Hewstone (Eds.), European Review of Social Psychology, Vol. 1, pp. 263-292. New York: Wiley.

Haun, Daniel B. M.; Tomasello, Michael (2011): Conformity to Peer Pressure in Preschool Children. In: Child Development 82 (6), S. 1759– 1767.
DOI: 10.1111/j.1467-8624.2011.01666.x.

Leary, Mark R. (2002): The Interpersonal Basis of Self-Esteem. In: Joseph P. Forgas und Kipling D. Williams (Hg.): The Social Self: Cognitive, Interpersonal and Intergroup Perspectives // The social self. Cognitive, interpersonal, and intergroup perspectives. New York: Psychology Press (v. 4).

Leyens, Jacques-Philippe; et al. (2003):
Emotional prejudice, essentialism, and nationalism The 2002 Tajfel lecture. In: Eur. J. Soc. Psychol. 33 (6), S. 703–717. DOI: 10.1002/ejsp.170.

Leymann, Heinz (1996):
The Content and Development of Mobbing at Work. European Journal of Work and Organizational Psychology, 1996, 5 (2), 165-184

Salmivalli, Christina et al. (1996):
Bullying as a Group Process: Participant Roles and Theri Relations to Social Status Within the Group.
Aggressive Behavior, Volume 22, pages 1-15

Schmidt, Bernhard J. (2015 / 1):
Autist und Gesellschaft - Ein zorniger Perspektivenwechsel. Band 1: Autismus verstehen.
1. Aufl. Norderstedt: Books on Demand.
ISBN: 978-3734757402

Schmidt, Bernhard J. (2015 / 2):
Autist und Gesellschaft - Ein zorniger Perspektivenwechsel. Band 2: Hilfen für Autisten?
1. Aufl. Norderstedt: Books on Demand.
ISBN: 978-3734792687
Schmidt, Bernhard J. (2016/1): Klartext kompakt.
Das Asperger Syndrom - für Arbeitgeber.
1. Aufl. Norderstedt: Books on Demand.
ISBN: 978-3739228082

Schmidt, Bernhard J.; Ganz, Andreas (2016/1):
Klartext kompakt. Das Asperger Syndrom - für Ärzte
1. Aufl. Norderstedt: Books on Demand.
ISBN: 978-3839141380

Schmidt, Bernhard J.; Ganz, Andreas (2016/2):
Klartext kompakt. Das Asperger Syndrom –
Nicht nur für Psychotherapeuten
1. Aufl. Norderstedt: Books on Demand.
ISBN: 978-3839147917

Thomas, Alexander (1992): Grundriß der Sozialpsychologie. Göttingen [u.a.]: Verl. für Psychologie Hogrefe.

Wetherell, Margaret (Hg.) (1996): Identities, groups and social issues. London: SAGE.

Zimbardo, P. G. (1972): The Pathology of Imprisonment. Online: http://www.vonsteuben.org/ourpages/auto/2013/9/16/39586652/Zimbardo%20Pathology%20of%20Imprisonment.pdf

Bisher sind von Bernhard J. Schmidt folgende Bücher erschienen:

Autist und Gesellschaft – Ein zorniger Perspektivenwechsel. Band 1: Autismus verstehen
Auch nach 70 Jahren ist es der Autismus-Forschung bis heute weder gelungen die steigende Zahl von Autismus-Diagnosen zu erklären, noch die Grundlagen von Autismus überhaupt zu verstehen. Damit steht die Forschung nicht nur der Hilfe für Autisten im Wege. Sie bereitet aufgrund der Verletzung von wissenschaftlichen Regeln auch den Boden für falsche und zudem schädliche Theorien. Dieses Buch bietet eine neue, kritische und wissenschaftliche Sichtweise aus der Perspektive der Sozial-Psychologie.
ISBN: 978-3734757402

Autist und Gesellschaft – Ein zorniger Perspektivenwechsel. Band 2: Hilfen für Autisten?
Brauchen Autisten Hilfen oder Therapien?
Ist Autismus überhaupt eine Störung bzw. eine Krankheit? Und wenn Autismus keine Krankheit ist, wo haben dann die vielen Probleme von Autisten ihre Ursachen? Wo können Hilfen überhaupt ansetzen? Was sind die Ziele von Hilfen?
Diese und noch weitere Fragen beantwortet das Buch aus einer neuen, dynamischen Sicht der

Wechselwirkungen zwischen Autisten und Umwelt. Es richtet sich an Autisten, Eltern, Lehrer, Schulbegleiter und alle, die sich für Autismus interessieren.
ISBN: 978-3734792687

KLARTEXT kompakt:
Das Asperger Syndrom – für Eltern
Eltern und ihre Asperger-Kinder kommunizieren unterschiedlich. Dadurch kommt es leicht zu Missverständnissen und Schwierigkeiten. Autisten reden Klartext. Dies spiegelt sich auch in diesem Buch wieder. In kompakter Weise wird eine neue Sicht auf die Kommunikation zwischen Eltern und Asperger-Kindern aufgezeigt, in der vor allem deutlich wird, dass Autismus keine Entwicklungsstörung ist. Durch die andere Form der Kommunikation und Interaktion kann es zu einer Entwicklungsstörung kommen - muss es aber nicht! Das Verstehen dieser besonderen Form der Kommunikation und Interaktion vermeidet Missverständnisse und ebnet den Weg in ein zufriedenes, symptomfreies Leben.
ISBN: 978-3739216034

KLARTEXT kompakt:
Das Asperger Syndrom – für Lehrer

Immer mehr Lehrer werden mit Asperger Autisten als Schüler konfrontiert.
Neben der Frage "Was ist überhaupt Autismus?" steht gerade in der Schule die Aufgabe im Mittelpunkt, die autistischen Schüler in die Klassengemeinschaft zu integrieren.
Besonders im Umfeld Schule werden die Vorteile einer neuen sozial-psychologischen Sichtweise deutlich.
Mit dieser Perspektive lassen sich nicht nur die Besonderheiten von Autisten und daraus resultierende Schwierigkeiten, sondern auch Stärken und Fördermöglichkeiten erkennen.
In kompakter Form werden mittels dieses neuen Ansatzes das Asperger Syndrom und die schulrelevanten Aspekte dargestellt.
ISBN: 978-3739220086

KLARTEXT kompakt:
Das Asperger Syndrom – für Schulbegleiter

Warum brauchen Asperger Schüler trotz normaler Intelligenz überhaupt eine Schulbegleitung?
Wie und wo entstehen mögliche Probleme?
Und auf was sollte ein Schulbegleiter achten, was sind seine Aufgaben?
Auf der Basis einer sozial-psychologischen

Perspektive werden die möglichen Probleme von Asperger Schülern und ihre Ursachen dargestellt. Mit Hilfe der Berufe “Dolmetscher”, “Lotse” und “Bodyguard” werden zudem auch die Aufgaben von Schulbegleitern erklärt.
ISBN: 978-3738645330

KLARTEXT kompakt:
Das Asperger Syndrom – für Arbeitgeber
Asperger Autisten verfügen sowohl über eine normale bis hohe Intelligenz als auch häufig über besondere Fähigkeiten.
Trotzdem finden Autisten leider selten einen adäquaten Arbeitsplatz. Doch die Beschäftigung von Menschen mit Asperger Syndrom ist nicht nur für deren Gesundheit und Wohlbefinden wichtig - sondern auch für die Arbeitgeber. Autisten aufgrund fehlender "Soft Skills" vom Arbeitsmarkt auszuschließen - schadet auch der Wirtschaft.
Dieses Buch möchte einen klaren und kurz gehaltenen Beitrag leisten zur Integration von Autisten in den ersten Arbeitsmarkt.
Es soll beitragen zum Verständnis von Asperger Autisten - als produktive Arbeitnehmer mit besonderen Fähigkeiten und Sichtweisen.
ISBN: 978-3739228082

Dr. med. Andreas Ganz, Bernhard J. Schmidt
KLARTEXT kompakt:
Das Asperger Syndrom – für Ärzte

Die Zahl diagnostizierter Autisten steigt in den letzten Jahren stark an. Gleichzeitig haben Autisten sowohl eine reduzierte gesundheitsbezogene Lebensqualität als auch ein stark erhöhtes Sterblichkeitsrisiko, wie eine aktuelle Studie zeigt. Trotzdem kommen Autisten nur selten als Patienten in Arztpraxen.

Dies liegt vor allem an unsichtbaren Barrieren, die den Zugang zu medizinischer Versorgung für Autisten zumindest erschweren - wenn nicht gar unmöglich machen. Diese Barrieren sichtbar zu machen und Wege zum Abbau aufzuzeigen ist ein zentrales Ziel dieses Buches.

Zusätzlich erfordert auch die Anamnese, Diagnose und Behandlung von Autisten ein spezifisches Vorgehen. Deshalb werden die Ursachen und Wirkzusammenhänge vieler Erkrankungen bei Asperger Autisten dargestellt.

ISBN: 978-3739240893

Dr. med. Andreas Ganz, Bernhard J. Schmidt
KLARTEXT kompakt: Das Asperger Syndrom – nicht nur für Psychotherapeuten

ISBN: 978-3839141380

Autismen: Aphorismen eines Autisten

"Gegen die Unbilden der Welt
und Mitmenschen gibt es
keinen Schutz für die Seele,
der nicht zugleich auch Kerker
wäre für diese."

ISBN: 978-3734760334

Vernunft und Freiheit – bei Thomas von Aquin

Ob eine "Islamisierung des Abendlandes" droht, darüber kann man trefflich streiten.
Gewiss dagegen ist jedoch, dass wir in den letzten Jahrzehnten bereitwillig das philosophische Wissen von Jahrtausenden leichtfertig über Bord geworfen haben. Für „Glasperlen und Wolldecken" haben wir unsere Kulturgüter weggeschmissen.
Es wäre gut, sich wieder auf diese Güter zu besinnen.
Auf Vernunft und Freiheit als Tätigkeitsvermögen.

ISBN: 978-3734760525